U0164160

文學叢刊之三十五

心似彩羽

莊雲惠著

文史哲出版社印行

文學叢刊 ㉟

心似彩羽

著者：莊雲惠
出版者：文史哲出版社
登記證字號：行政院新聞局版臺業字〇七五五號
發行所：文史哲出版社
印刷者：文史哲出版社
臺北市羅斯福路一段七十二巷四號
郵撥〇五一二八八一二彭正雄帳戶
電話：三五一一〇二八
實價新台幣二四〇元
中華民國七十九年十一月初版

ISBN 957-547-021-4

現代閨閣體
——「心似彩羽」序

墨　人

「心似彩羽」是莊雲惠繼「紅遍相思」後的第二本詩集，同是由文史哲出版社出版。

莊小姐是一位「心存謙卑，胸懷虔誠」的年輕詩人、畫家，她同時擁有兩枝彩筆，描繪出那屬於她自己的輕柔的含蓄的如夢似幻的心靈世界。

她的水彩畫和抒情詩的風格是完全一致的，也是相得益彰的。她如果早生幾百年，那是李易安、朱淑眞之流的詩人、詞人。她雖然生在現代，而且是八、九十年代的年輕詩人，但在她的作品中聽不到一點搖滚樂的噪音，看不到一點存在主義意識流的嘔吐痕跡，她的作品本身很有「現代感」，但無「現代病」，而充滿著現代淑女氣質。她的詩可以稱之爲「現代閨閣體」。且引「微塵」爲例：

慢慢的　我從你眼神中逸出
離去　如蒼茫世間的
一粒微塵

心似彩羽·2·

迴旋於萬古的虛空
內心　獨唱落寞的聲音

我想試著遺忘
曾有過的泣痕
它依稀掩映著
暮春的傷悲
現實是一把利剪
能剪斷所有的心事
我知道我
一粒微塵
輕於風的顫動

飛過你婆娑的燭影
逸出你沉默的眼神
我迴旋於萬古的虛空

獨唱著落寞的心聲

這首詩也是她「心存謙卑，胸懷虔誠」的最恰當詮釋，那種輕於「風」的「顫動」的一粒「微塵」，絕無某些人的過度膨脹自己的狂妄。這首詩不但表現了「謙卑」，也表現了輕柔。而另一首「虔」中的兩句「擁有而不必佔有，付出就是一種完成」，又表現了一種高尚的情操和美德。

她的含蓄的如夢似幻的心靈世界，在「存愁」這首詩中作了很好的告白：

有些話
只能對風
　對雲說
不能對你說
……

這種「纖纖心思」，錦心慧口的獨特語言，是李易安、朱淑眞式的，但非常富有現代感，因此我稱之爲「現代閨閣體」。

她是一位天生的詩人，但我希望以後能看到她更成熟精鍊的文字語言。

庚辛七月廿二日於北投

心似彩羽・4・

白雲紅葉兩悠悠

讀詩人莊雲惠新著「心似彩羽」

黃雍廉

一九九〇年澳大利亞的冬天，反常地總是多雨，連週帶月雲暗天低，寒風冽冽，益發叫人神馳台灣寶島四季長溫的陽光。

早上看完羅馬世界杯足球賽，南韓以一比三輸給西班牙鬥牛士之後，心裏便不怎麼舒坦，連喝鮮奶也似乎變了味。本來事不干己，但我總無法忘記自己是亞洲人。

還好，窗外是一片艷陽，順著白雲朵朵的晴空，再凝視後院那棵紅葉滿枝的栗樹，不禁讚歎起大自然是多麼神奇的美術師。

面對白雲紅葉兩悠悠的景致，西班牙那三粒沈重的入球，也像赤壁的雄兵固壘早被大江東去的浪濤，洗滌得無影無痕了。世事本尋常，癡情才是傻，心頭突然浮起一朵莊子常掛在臉上的微笑。

就在這時，小女兒拿了一包昨天郵差送來的信給我，原來是詩人畫家莊雲惠小姐即將出版的詩集「心似彩羽」的影印稿。

莊雲惠信中叫我爲她的新著寫序，更囑我爲這本詩集的命名提供意見。當我把莊雲惠的詩集影印稿一口氣讀完後，心裡即刻有一個感覺——她是一位幸運之神眷顧的孩子，因爲她的文心慧意來自天授。「心似彩羽」是莊雲惠繼「紅遍相思」之後，即將出版的第二本詩集，其中收集了七十餘首已在國內外報刊發表過的詩作。一個二十來歲的年輕人出版兩本詩集自不足爲奇，重要的是，她的詩和畫，已經達到成爲一位眞正詩人和專業畫家的水準。

國內外華文作家寫新詩的作者很多，出版的詩集何止千百，但無可諱言的，能成爲眞正的詩人的卻是寥寥可數。原因是，新詩不易寫，光是有學問也無用。詩人定得詩情天生，定得佳句每隨意興發，佳篇不待苦中求，否則，便是在公牛身上擠奶，縱使滴血，亦屬徒然。

莊雲惠專科畢業後便從事社會服務工作，而且很難忙裡偷閒從事專門的學術研究，所以她當然不是大學問家；而可喜的是，她卻成功爲一位優秀的詩人。詩人首先必當是詩心天授，繼之是如何在詩國裡去善自經營，並從萬有萬虛萬殊的現實生態中，省察這有情世界，並用最簡潔的語言，最深沉的感情流露出來。一首好詩，一句佳句，便從這個詩情的試管中誕生。莊雲惠的詩大抵從她心的深處抽芽，由智慧的花粉著色，再透過感情的陽光，靈思的春風而綻放一樹綠葉繁花。

她的每一首詩便是一個完整的世界，而且這個世界是我們所熟悉的、也是我們感情所透視所融入的世界。古人有「兩句三年得，一吟雙淚流」，所以一首好詩，不僅要讓讀者看得懂，而且要有一把感情的鑰匙，像情人私會般地讓他從容地進入你詩心的世界。

新詩之所以難爲，就是新詩作者往往忘記配備這把感情之鑰，不但把讀者擋在門外，甚至有時連作者本身也擋在門外，這是何等大的天才浪費呀！

然而，莊雲惠的詩，不僅大殿之門隨時儲備有鑰匙，甚至連殿門也是敞開的，只要你順著她的山路走去，青山便驀然在你眼前。現在讓我們來讀她四首詩作——

一、唯一：

流光不再
燈暈不泛
灼灼的心焰
漸趨熄滅

只一次燃燒
便耗盡年輕的
燃料
也只能燃燒一次

失落的流光
失落的燈暈
終難再

這首只有十個短句的小詩，包含了幾個意境不同的故事：作者也許是在悼念一位積勞而傷的朋友；也許是因燭火的閃逝而嘆人生苦短，青春難再；也許是比喻一次火熱的戀情中途的風暴。

無論是屬於何者，均表現了有力而沉重的回聲。如果是屬於後者，更凸出了感情剛烈的性格。「只一次燃燒，便耗盡了年輕的燃料」，後面緊跟著「只能燃燒一次」，多麼石破天驚的強力感。

其中流光不再，燈暈不泛，詩人以複語的形式入詩，文字重疊的適當運用，更產生了詩情重疊的物理學上的加速度效果，不顯累贅，反覺清奇。一首好詩，就在它的多意象、多層次，且表達的感情強烈而深刻。

二、最初：

儘管你手上的繭
粗糙如古老的榕根
我還是要親吻你
像頂禮典雅的聖蹟

儘管你臉上的皺紋
清晰如羅丹的雕塑
我還是深情的凝視你
像欣賞江鄉的風景

儘管流光匆匆
歲月遞變
無論繁華多麼眩目
寂寞何等淒清
歷劫的心
對你

始終是最初的戀

我讀這首詩時，心中的波濤激盪不已。如果詩中的這位聖女站在我的面前，我是毫不猶豫地要用我高貴的心去親吻她的面頰。這首十五行的短詩，不僅雕塑了一位淑女的純貞形象，同時也抒撒了中國傳統婦德中的潛德幽光。世界上唯有眞誠是溫暖心靈的不滅火種。這首詩也更直接以近乎上帝的聲音，告訴世人——什麼是愛。

無論繁華多麼眩目

寂寞何等淒清

這兩句詩視似無華而實是金玉。它將人世的滄桑幻變和愛的金石堅貞，用短短的十四個字構成一個思想體系，濃縮成聖潔的萬般貞堅。只有優秀的詩人，才能用極通俗而大衆普爲認知的詞句，表達內心深處最誠摯的詩情。

詩人在上述語態之後，接著用了三句，共十三字——

歷劫的心

對你

始終是最初的戀

這像滾滾長江的水，一波緊接一波地，把詩情詩意推向激情的高峰，有力而豪壯。

歷劫，代表著千窮磨難。

最初的戀，表達了內心的玉潔冰清。

每個人都會經歷「初戀」這一過程。它有多香、多甜、多麼深刻而又不可移易和無可替代的地位，是像一顆珍貴無比的藍寶石，深深嵌在每個人的心中的。因此無需解釋，詩聲已自然闖入了讀者心中，這便是詩的可讀性和感染力。我相信不會有老師指導莊雲惠如是寫，而她卻自自然然的如是寫了。這便是詩才、詩魂，而且是文學院的老師們也無法傳授的。

紀弦先生說：「我是先有詩，然後才有理論。」紀弦先生是老一輩詩人中我最仰慕的一位。親切和藹，始終懷著一顆童心。無疑地他是中國現代詩的原始催生者，也是成就最高，最輝煌的一位。紀弦先生的話說明了只有傑出的詩人，才能先創成例，後啟理論之門。莊雲惠便是這一類把天才的色彩塗在筆尖上寫詩的詩人。

最難得的是詩人以最透明的比喻，砌成這小小詩城中的金字塔。許多愛用晦澀詩句的作者，也許認爲明喻和具象的用語，會削減詩意的象牙般玲瓏。但請不要忘記，藍天中的白雲是人人舉目可見的具象，卻連上帝都找不出其他比白雲更好的東西來代替。

個人認爲一首好詩，一在有眞情，一在有性格。有了眞情和性格便顯示出活活潑潑的生機，便呈現出清清楚楚的面目。這便形成「我看青山多嫵媚，料青山見我亦如是」的雙向感情交流了。如能在文字上不著痕跡地點綴詩情，裝飾詩意，那便是一首扣人心弦的好詩了。

一首詩如果完全是一堆化不開的雲霧，縱有朝霞，何由得見。冰雪聰明的莊雲惠的兩本詩集中，只見陽光，不見雲霧，這便是她朗然天性和慧美才情之昭象。

國內的一些詩人朋友，不知是走錯了方向自己還未能辨別，還是故意把詩質的芬芳裝箱密封。有些人雖然出了好幾本乃至十幾本詩集，但他們的詩一定要聽了他自己的解釋與詮註，才能勉強地明白詩中的意思，有點近乎猜謎，讀他們的詩想要淨化心靈或是會心微笑，幾乎是不可能的事。因爲它們是一潭死水，始終無法波動感情之舟。我認爲他們實在浪費了自己的才華，也不自覺地虐待了讀者，可惜！

三、詩音：

愼勿讀詩
當憂傷包裹著心靈

若是在詩中
邂逅一句知音
那飽含悒鬱的雙眸

只怕擋也擋不住
一陣驟雨的傾瀉

這首短詩只有七句。全詩的重心在「邂逅一句知音」。世人最寶貴的精神財富之一，便是「知音」。它有時是比東海的明珠還稀少、更珍貴。有些天星下凡的才子、美人，甚至一輩子至死，也邂逅不到一個知音。

莊雲惠用這七行詩，繪成一個長虹般的「驚嘆號」，把自己的滿懷感嘆，無盡珍惜，用「只怕擋也擋不住，一陣驟雨的傾瀉」的深情，釀成不醉無歸的摯友般的鍾情眷戀和劫後重逢的欣喜。

詩人的可貴氣質之一，是不見利忘義，不趨炎附勢，反之，對世事常是一往情深得一掬同情之淚。莊雲惠這首詩正流露了她的高貴氣質，以及那憫世懷恩的無比同情心。

四、成長

捨棄吧
一切愛與不愛

　歡笑與悲哀
在揚手之際
都將於流光中沉埋

捨棄了
所有愛與不愛
　歡笑與悲哀
在不得不瀟灑的時候
只有昂首離開
在不得不抉擇的時候
我走得慷慨

這首詩只有十二行，詩人用這首短詩，淋漓盡致地傾吐著感情成熟或者青黃不接時的人生處世態度。而且以開頭的一句「捨棄吧」與最末的一句「我走得慷慨」爲全詩的靈魂。

「捨棄」是何等大事。錢財、愛情、悲歡、憎恨，誰能讓它如逝水東流隨波而去。論錢財，有「棺材裡面伸出手」；論情愛，有「春蠶到死絲方盡」；悲歡與憎恨，更是世人只爭朝夕不爭萬年，一息尚存，此志不怠無法忘情、無法捨棄的。

詩人感嘆地道出，「一切愛與不愛，都將於流光中沉埋」，從而把握到可以捨棄的根源。因爲萬有原是萬空。情海生仇，蕭牆喋血豈不多餘。這是這首詩前面五句的總義。

後面七句，以一種佛成正果的解脫心懷，用「昂首離開」和「我走得慷慨」兩句，表達了詩的強烈個性以及超脫後的心境。要知道該走的時候不昂首離開，不走得慷慨，你便會墜入一個感情糾葛的深淵。理智有時是感情的康復劑，詩中於文字之美外，且高擎著明亮的智慧之燈。

由於詩題是「成長」，更顯得詩人詩思的成熟和詩情、詩景、詩心的統合。有些詩人，詩題是一回事，詩句詩情又是另一回事，往往是空言無物。莊雲惠的詩卻是一葉一菩提，一花一世界。當你步入她的詩苑，你便會欣賞到她的詩景；那是一座寶山，你不可能空手而回。

以上賞析了她的四首詩作，足以窺見戴在她頭上的詩的桂冠之一斑。現在再來談談她如何善用詩的語言。

莊雲惠的詩總是把握著「大寫意」與「多面概念濃縮結晶效果」的交復搭配。因此每首詩像隻綿綿情結的花環，幽香而雋永。

在「成長」這首詩中，她用「一切愛與不愛」六個字，來代表人類心靈最複雜、最難平復的愛欲波濤，以及世間的恩海仇城。人類的感情世界幾乎全部在愛與不愛這四個字的浩海中掙扎浮沉，愛之欲其生，惡之欲其死，死生亦大矣。莊雲惠只清風拂面般悄悄地用「一切愛與不愛」六個字來表達，這就是才人手筆，也是從平實中凸出新奇的文字修養和才情揮灑的眞功夫。

她在「爲什麼還要迎向你」這首詩中，用「愛是用淚流成的河」的大寫意來抒發心智深處的性靈與哲思。

又如在第一本詩集「紅遍相思」中的「訴」這首詩中，用「遙遠的不是你的心，而是你」十一個字，來千情百結地懷念她遠方的友人。而詩的可貴處，就在於用一個意象來引發多種的意象。

一首好詩，要文字淺顯而意境能展開一個無限宇宙。我認爲中國新詩要承襲唐詩宋詞而成爲中國文學的主流，亦唯有走這條路才能圓滿，否則徒逞文字艱深枯僻以爲貴，則詩運必窮。

可喜的是台灣年輕的一輩詩人中，已放棄了走晦澀枯僻的這條路，莊雲惠固是其中佼佼者。她的詩，文字清奇華美，意象鮮明，運詞取意能從抒情的感性風暴中濃縮成細雨柔絲，常有出人意表的錦句，這也歸功於她是一位傑出的水彩畫家。

她習畫前後不過七年，而在學校學的是商科。以她目前的成就深獲畫壇前輩的器重，以及多次畫展帶給藝壇的震撼來看，她的一枝獨秀，可能不得不叫許多美術系出身的同學刮目相看。

筆者去歲回國曾和諸友造訪過她設在台北縣三重市閣樓上的畫室。四盆正開著的淺紫色蘭花與一尊白玉觀音大士聖像和兩幅掛在壁上她自己的畫作，把那間約二十餘建坪的閣樓，點綴得清雅宜人。

閣樓外，種植著四時花木，迎風搖曳，生氣盎然。在台北的鬧市能有這樣一席靜謐的詩樣空間，鳳閣月明，蘭馨夜綻，加上她自己的天眞娟麗，不由不使人聯想到這就是天上人間。而她帶著仙氣的詩和畫，就在這個美麗的小洞天中誕生。我用「白雲紅葉兩悠悠」爲題，即是莊雲惠詩樣人生、畫樣意態的彩麗投影。

一九九〇年七月二十七日於雪梨

心似彩羽　目　次

輯二

輯三

輯四　藍溶海角……八九

輯一・牧浪的心船

感情起落　糾結的緒愫
轉折之間
恰如一首低徊的歌

迎

希望正燦
你以十月的輝煌之姿
在我眸光所及處巍然卓立
我放飛十萬朵詠歎
向一尊我頂禮的雕像

乘聲而起

踩碎石階多少苔痕
踏穿長隄多少月影
你御風而行
只為一聲溫柔的
存問

我來不及
抖落滿心期待成真的喜悅
向你傾訴一天最後的歡欣
還來不及

串結絲絲純白的真切
紡織這清夜突來的驚顫
你啊　已把我重重裹住
用纏綿的聲音

你的情誼
是雲外的靈橋
縮短到天明的距離
走過今天
我將迎向你
以晶瑩的心意
全然的美

獨處

有一種聲音
像大河流過心底
滔滔詩潮
悠悠夢影
匯聚了美的想像
擴展了朝朝暮暮的
思念

我夢見

我夢見
你的青春華年如紛飛的雪花
凋落在烏黑的髮上
你遂逐漸老去……老去……

枯萎的身軀
幻變成一片沙塵
滾滾飛騰在雲煙往事中
我極目張望　張望
只見撒落滿地的回憶

教我拾也拾不起
醒來時
微微的驚顫
透露了心尖輕嘆的消息
眸睫間
點點清光
是昨夜不寐的寒露

風火季

你踏火而來
燃燒的心情
灼傷了愛
你以含血的淚
溶化深藏的誓約

看著你來自火中
我亦向火中去
但我不能燃燒
我想化身為汪洋

涵容你情緒的風暴

我要告訴你啊
告訴你
當你溶我入你的血淚中
關乎你的生或死
已是我綿長的憂思

微　塵

慢慢的　我從你眼神中逸出
離去　如蒼茫世間的
一粒微塵
迴旋於萬古的虛空
內心　獨唱落寞的聲音

我想試著遺忘
曾有過的泣痕
它依稀掩映著
暮春的傷悲

現實是一把利剪
能剪斷所有的心事
我知道我
一粒微塵
輕於風的顫動

飛過你婆娑的燭影
逸出你沉默的眼神
我迴旋於萬古的虛空
獨唱著落寞的心聲

拂袖

當我頭也不回
消失在寒瑟的冬風裡
你探索的眼神
是否流露著落寞
你燒灼的心
是否到零點

啊啊　你怎知
一個墜落在愛情荒原中的靈魂
前景是何等渺遠

希望是多麼黯淡
我怎能再回首
以被霧般迷思佔據的雙睛
去尋繹遙遠的夢境

我在風中
蒼茫的心
卻使我忘了寒意

秋思

那心上的一朵
把深秋溶化
在寒涼的月色中
吐成含淚的相思

含淚的相思
是一朵不忍綻放的蓓蕾
靜臥在歲月的羽翎上
任憑一秋的風
冷冷襲過

夢痕

從夜夢中驚醒
失落了全部溫柔的想像
回憶的道路是如此曲折而坎坷
總是讓我釀淚的雙眸
迷濛地看不到前路
為什麼回憶的道路是如此多荆棘
總是刺痛我飛奔的赤足

不該有夢
就不必敷療被現實擊碎的創傷

不該回憶
就不會恍惚地分不清過去與現在
畢竟
活在溫存往事中的影子
只是飄搖的幽靈
不容真實相逼
不堪現實一擊

讀影

不要讓我像憂戚的露珠
在葉尖上打滾
不要讓我擁著希望
在風裡飄搖
復跌落於無邊的蒼茫

啊
不要讓我做飲淚的流泉
在山谷中嗚咽
不要，不要讓我駕無舵之舟

去摘水中的月影

你啊
我的至愛
也是我心坎間
舒也舒不開的
一聲長嘆

爲什麼還要迎向你

我不願把心迎向你
褻瀆了寬漫的清思
不再溫習你冷峻的言語
不屑面對你無理的自私

何必在柔麗的微語之後
亮出銳利的鋒刃
使我那露珠般的希望
消融在無情的驕陽中

愛是用淚流成的河
而我沸騰的心聲啊
只是一朵激情的水花
最後還是溶化在愛中
還是迎向你

感聲

你的聲音
是南國早春的花訊
美麗我困居寒帶的心情
你遲到的聲音
如燁燁的日焰
將我心上的冰河解凍

從冷寂中醒來
我坐擁乍現的暖陽
我是譜花的荒原

我是溶雪的綠野
我是靜享你悠然的音籟的
萬紫千紅的陽春

最初

儘管你手上的繭
粗糙如古老的榕根
我還是要親吻你
像頂禮典雅的聖蹟

儘管你臉上的皺紋
清晰如羅丹的雕塑
我還是要深情的凝視你
像欣賞江鄉的風景

·25·最　初

儘管流光匆匆
　歲月遞變
無論繁華多麼眩目
　寂寞何等淒清
歷劫的心
對你
始終是最初的戀

釋

問與不問
說與不說
有時
已不是如此絕對

不必驚異於我的沉默
我已撕毀對自己的承諾
當不期然地
在唇角一抹慘淡的笑中
窺透自己的心事

這時
深深淺淺
濃濃淡淡的
感覺
早已被葬花的心情所結束
早已被無邊的遼闊所淹沒

祈忘

寧可你把我忘記
就像掠過心空的微雲
淡如水
輕如絮
無痕
無跡

寧可你不要將我憶起
讓我暫時遺忘深埋的情意
當我用沉默

把摯情蘊蓄
低歌的風
會為我輕輕嘆息

冷月天寄語

冷月的輝芒
侵蝕著你寂寥的身影
踽踽獨行，你把落寞
撕成了嘆息片片

如水的夜色
斟入你空寂的心杯
你獨飲行歌
飄搖著人世的旅影

啊
我願化為小螢一勺
溯淡淡的月光飛行
為你
擎起一盞溫柔的　溫柔的心燈
那怕只是微弱的　微弱的光痕
也要緊緊地　緊緊地
與你偕行……

請莫以獨處的憂鬱
酬答我青春的歲月
請莫用含悲的思量
添油我心靈的愛念
在這冷月天

天上人間
我願為你明滅升沉
或做星星　或做冷螢
夢想著與你偕行

你不再年輕
我也不嚮往陌生的愛情
癡狂的年少已遠去
刻骨的真知難再尋
讓我們以透明的心靈相守
在這天各一方
萬里蒼茫的冷月天

輯二・月引

盈盈心感　歷經風雨僝僽

儘管滋動哀悵　而終究歸於完美

回 返

星華正燦
潮音漸遠
你乘一痕月影
迢迢萬里而來

你說
尋遍千山萬水
生命的唯一
竟是前世延伸的一個故事
　點亮今生的一盞慧燈

你我的相遇
不是偶然的神話
不是虛渺的夢幻
在凌涉重重時光之後
在月影星華之中
我們將回返最初
憑靠著一盞
慧燈

如　果

如果不曾相識
或在邂逅之初
未被善與美交織的網
縛住　那麼
我們的心
將不會跌進錯綜的四季……

如果沒有不經意的當初
和無可抑止的演變
我們就沒有現在

就不會隔著一個冷冷的夢境
用相思來取暖

如果不曾相識
你就不會以愛
美麗了我
也不會因愛
犧牲
許多

致

讓我像一顆沉默的星子
靜靜地在自己的軌道上
運行

當夜昇起
我將望著你
以全燃的感情

黎明來時
我會悄悄隱去

在金陽光中

你看不到我哭後的眼睛
　觸不到我療過的傷痕
為這一境無法自圓的夢
我只有像運行在自己軌道上的星子
永不驚擾你幸福的天空

虔

兒時
宅後有條淺淺小溪
終日唱著它的歌
長大後
我心中也淌著一灣流水
潺潺輕瀉靈魂的清音

年華在曲折的曲調中成熟
青春在婉轉的樂聲中煥發
那源自靈魂的清音啊

無私地
為你高歌

擁有而不必佔有
付出就是一種完成
像星星美麗了黑夜
　太陽光明了白晝
像我心中的清流
默默地滋潤你生命的田園

依嚮

萬頃煙波
一江明月
盪漾在
你海樣的雙睛

賜我以晶瑩
贈我以豐美
引我向
意象的光華

光華如火
映照我青春為壯麗的風景
從此
我不再咀嚼淒清的回憶
　不再回首細碎的步履
我與崇高的信仰同在
　與燃燒的希望共存
我把唯一的美
投向亙古的真

距　離

愛常常是想念
有時
卻又要不想念

騰一個空間來放置自己
騰一點時間來雕塑自己
讓不是距離的距離
留給彼此心靈
塵翳不染的透明

不遇

在霓虹的彩影中
在過盡千帆皆不是的人潮裡
尋你
盼你
漾著春意的音容
為我落寞的眼神
燃起清歡

莫笑我癡
莫嘆我傻
有誰知道

一次執著的追尋
是累積多少精純的意念
才走出一條肯定的道路
是沉澱多少默契的結晶
才換來一個無怨的微笑
也許　你總在我企盼以外
　　　驚奇之中
也許　你總是翩然從夢中來
　　　　在現實中去
啊
心是很淡了
淡得可以溶化你所有的決定
然後
我輕輕飲下這全部的感覺

存愁

有些話
只能對風
　對雲說
不能對你說

纖纖心思
牽連著風雨的僝僽
熱淚燒燙的喉頭
長哽著淒楚的低咽

有些話
不能對你說
只能對雲
　對風說
那窺不透的惘悵心緒
是纏繞一生
解也解不開的
結

慨

飄泊
縱使內心蒼涼
卻也是最好的選擇

如一枚葉片
迴舞風中
復墜落於無言的泥上
似一粒微塵
浮蕩空間
復還原於大地

所謂來去
不過是無牽無掛的代名詞

啊
選擇你
便是選擇了漂泊
孤獨的自我完成

歉

我能向你索求什麼
一個比我還勞瘁的人
我能向你埋怨什麼
一個愛我比愛自己還深的人
如果我的沉默傷害了你
那麼
必然也傷害了自己

清　怨

清怨是一粒種子
萌芽在忙碌的空隙
我的心田
蔓生著無奈
何能再騰出偌大的空間
容納憂傷的情緒

啊　所謂
刻骨銘心　在今夜
此刻

只願它比雲還淡

比風

還輕……

再　見

愛你
是因為我忠於自己
不能愛你
是現實不允許
而不是玩人間遊戲

你無法再猜透我眸中的深意
因為
那已是經過幾番血淚洗滌
　　幾度風雨蘊蓄
最後埋藏的一點珍異

省思

把憾恨消溶在心底
展開歡顏
劃出美的滿圓

在愛的歲月裡
所有的計較都徒然
我將所有的情愫
都引向
無怨

蘊

歷經真實的鍛鍊
愛情的過程變得如此曲折而婉約
漸漸地
我亦不再編織相守的美景
我只祈求你的健康與平安
我恆相信
你的來　或去
已不是有形幸福的象徵
而是我永世的記憶

慢慢地　我習於等待
用揮霍青春的心情
等待模糊的盟約
實現也好
幻滅也罷
當一切消逝在花白的年歲中
這唯一的秘密
仍是我最後的嘆息

輯三・心露

哀樂情衷　浮光掠影
任幽塵長封琴語
釋道悲感　詩夢空幻
一時失落無痕

風起時

你馱著全生命的誠摯
向我匍匐而來
而我　這超載的行舟啊
揚不起一葉輕帆
收集你
遺落在風中的嘆息

曾經

曾經熟悉的印記
交錯著模糊的痕跡
曾經清晰的脈絡
陌生得不復記憶
多少繁華
多少美麗
只是無奈的浮光掠影
最後
墜落在時間的深淵裡

不　必

不必對我許下承諾
承諾只是愛的囈語
夢醒時
你再也不知道
自己喃喃說過什麼

不必對我許下誓言
誓言只是愛的影子
當陽光隱遁時
你再也難以尋回曾有的蹤影

一個句點

當一部絃已斷盡的破琴
經過久久的塵封
為什麼還非要抖去塵埃
尋覓往昔的音徽

當一段緣已了盡的舊情
經過長長的沉澱
為什麼還更要攪動一潭靜謐
解析甜醇的汁液

其實
時間就是最圓滑的酒保
可以將一段舊情
調得愈濃愈烈
也可以
調得愈淡愈輕

既然緣已盡　情也該了
且讓它寂寂地沉澱
猶如
塵封的琴
裹在灰網裡
長埋心底——

漠

你欲煉語為剪
斷我千絲清愁
你欲化身為舟
渡我向迢迢彼岸
你以富麗的思
於我再也騰不出空間的空間
欲繁衍
不名之花

然而

你可曾聆聽我心脈動的聲音
可曾凝視我影挪移的方位
可曾仰視藍天
將我與白雲聯想

迷離的現實
飄忽著零落的嘆息
我琴音已歇
歌吟已止
我靈的笑意
而今是比水還淡

莫道情是傷
愛是痛

這過程的點滴
終會成為不復追溯的記憶

表

不要收集我的步音
在寒夢過後的清晨
我的初旅
是偶然
而回歸
卻是必然

不要怨懟我以涓涓淚滴
不必惱恨我以忿忿語絮
原是你所有

請你珍惜
不是我該有
我會放棄

在佈滿苔痕的碎石路上
請容我
用微笑裝飾痛楚
用沉默護衛椎心的記憶
用最後的孤寂與堅忍
在冷風中鍾鍊自己

海　浴

·之一·

眼之湄
有淚
被海風
風乾
一如那誤落巨網的
比目魚
失落另一半的
春

而這一半滴血的掙扎
被高高地晾起
然後
被遺忘

・之二・

文字深入不了我的傷悲
語言徒然污蔑滿懷真切
只有任戔戔白浪般的淚花
輕輕敲打著眼湄
在風中
訴說一個
久遠的故事

散後

如果要細數這樣的憂傷
只恐怕
纖纖柔思
會在狂風中散落

我無意驚擾你豐富的遐想
也無心攫取你緊握的美麗
我們本是兩條平行線外的
平行線
不會交錯

也不該碰觸
不會糾結
也不能重疊

偏偏
現實頑強
命運狡黠
因為必然
所以我必須
走近你
走近你冷冷的漠視
是現實的利刃剟我
運命的巨石擊我

而我卻不能俯首
　不能退縮
我只能挺立
只有默默傾聽
自己滴血的聲音

不在，不再

我那一方閣舍
已隨遠逝的時間沉埋
封鎖在苔痕深深裡

你伸出久蟄的雙足
企圖探尋那方明媚
殊不知
閣舍的主人
已乘
一羽比雲還輕的靈翼

在虛渺中
游離

如夢

就是那一個面影
終日盤旋
終夜繚繞
纏住我
不能自主

想揮掉
想躲藏
又不由得
偷偷地

把我和他的影子重疊
緊緊追隨……

唯一

流光不再
燈暈不泛
灼灼的心焰
漸趨熄滅

只一次燃燒
已耗盡年輕的
燃料
也只能燃燒一次
失落的流光

失落的燈暈
終難再

網之外

在星夜裡
聽你發自心海深處的聲音
那湧動的白浪
打痛我骨髓上的礁岩

我說，故人啊
為什麼要把春天掛在雲端
為什麼要在露珠中尋找陽光的影子
故人哪
何苦讓惡夢醒時徒留驚惶

甜夢過後暗藏悲涼

你把纖纖柔絲
打了又解
解了又打
織不成的網
又怎能網得住
我們交錯而過的步伐

在星光淡漠的清夜
有泣痕如刀
割痛兩個真實的靈魂

別

・之一・

你的淚
鞭笞我神經深髓
我心，卻運不動
一雙撫慰的手

・之二・

再見　你
猶如孤樹在寒冬
一片迷茫淒雨中

握著

讓我握著你手
一株傷感而優柔的水草
依附於冷冷的岩石

我要握你手
儘管你的手溫不再熨貼
　共有的感受不再熱切
我仍要
殘戀這逐漸褪落的春溫
　這凋零委地的笑瓣

面對嚴寒的冰季
心中是風雪飄墜
但我執著
迷戀這冷夜後的殘夢
泣挽這花季後的落英

飽含傷痛
讓我握住
這最初的願望
與最後的熱淚

海歌

那面容閃過
　步履走過
在星光華燦的今夜
曾經是熾烈的情火
把青青草原
燒成一片荒涼
只留下徹骨的傷感
牽動著纖纖神經

什麼是刹那
什麼是永恆
在流光的幻變下
有什麼不能撫平
又有什麼是絕對的定律

你隨潮音走來
亦隨潮音離去
卻在我記憶之外
懷念之中
貯存了一個
大海

輯四・藍溶海角

生活的感發與了悟
在季節中綻放了詩朵
讀著兩字斜題　淚眼中
蘆花白頭　盈盈為愛

當秋升起時

盈盈蘆花
為愛白頭
佇立在歲月的河畔
任憑一暮的風
冷冷襲過

夕陽老了
雁夢遠了
當秋緩緩升起
蘆花白頭
盈盈為愛

致攬鏡者某

在窄窄的空間
所能容納的夢
是如此
狹隘而脆弱

在漫漫的時間
想像的範圍
是如此
荒誕而虛渺

時間　是煎熬
空間　是桎梏
一個擁有全部
卻以為一無所有的人啊

捧鏡看不到自己
脂粉妝扮不出美麗
只是　不知不覺地
把盈懷的幸福
浪擲在無邊的虛幻中

遊子

讀一紙淚箋
一顆遊子的心啊
瑩瑩在重洋外

閃閃淚光誰能見
枚枚笑意誰能懂
遊子的心啊
是旅行的夢
沒有顏彩

沒有華飾
只有一雙透明的羽翼
夜夜
顛簸在歸鄉的途中

心情

因風
因月
因雪飛雪落般的心事
而
落淚嗎

因有情
因無情
因絲絲縷縷的繫念
而

忍淚嗎

踩著雪上的月影
踽踽獨行
不為尋繹答案
也無答案可尋
只因
一片純然的
靜寂
偶爾
滑進空茫的
傷感
遂造成了一次情緒的
揮霍

花魂

故事是一境寒夢
凋零於無情的捶擊中
一切似乎還未開始
卻已結束

洪荒的感覺
流貫肌理每一寸脈絡
存在　抑或　不存在
難道只是偶然

那曾驚艷於我嬌媚花顏
　傾慕於我挺秀姿儀的
芳心啊
莫要哭泣
莫為我悲——
歷劫的生命
不死的靈魂
是一顆苦苦　苦苦的
舍利
給予冷冷　冷冷的土地
我最後的一點溫存
　僅有的一絲光芒

探荷

曾把落寞還給荷
而今
荷卻把落寞還給我
盤桓在此
何以分曉這兩種訊息喲

一朵朵含葩的蓓蕾
像浪花
浮湧在綠波間
無舟來

無舟往
只有雨
大筆在寫字
浩浩的沉寂中
唯我獨立
讀滿池繁華的憂傷
那葉尖承載不住的
　花心收藏不下的
都一一跌落
在雨的字裡行間

審視

讀自己的蒼白
猶如捧起一片
不忍卒讀的
殘雲
在無風無月的日子
在靈魂放逐後的落寞的夜裡

風　笑

誰是浮木　渡我
在這寂寞之海
茫無際涯

我欲縱歌
但憂戚封喉
誰是美夢
引我向亮麗之日
笑意點點　閃耀如詩

誰是我情緒的浮木
渡我於孤寂之海
誰是晴空　引愛如曦
帶來暖陽
曬我成一首小詩

而此時
四處悄然　靜寂
酬答我的　如茫海輕漚
那雨後的涼風

我隱約聽見
風中有竊笑之聲

詩　音

慎勿讀詩
當憂傷包裹著心靈

若是在詩中
邂逅一句知音
那飽含悒鬱的雙眸
只怕擋也擋不住
一陣陣驟雨的傾瀉

成長

捨棄吧
一切愛與不愛
　　歡笑與悲哀
在揚手之際
都將於流光中沉埋

捨棄了
所有愛與不愛
　　歡笑與悲哀
在不得不瀟灑的時候

只有昂首離開
在不得不抉擇的時候
我走得慷慨

煉

我不願身披護甲
但　我害怕那
帶刺的口吻
藏鋒的眼神

我不愛在權勢中角逐
因為　我不是善鬥的勇士
我無法卸下這滿懷的天真

然而　我必須生存

就不得不把自己剖而為二
一半留給原我
一半交給智慧的周旋
周旋在人眾之間

星　華

・之一・

現實就是我們所踩的土地
不管願或不願
都得跨步在其中

・之二・

在創痛時
我緊擁理想

在憤怒時
我想像海天

·之三·

當我追悼流逝的年月時
竟虛渡了現在

禮讚

當愛自心中生
那怕只是一枚葉啊一枚葉
也會掀起舞姿翩翩

當愛自心中生
那怕只是一朵雲啊一朵雲
也會幻變為風景萬千

當愛自心中生時
謝落的春

凋零的笑
都會一一復活為
新生美景

輯五・搖夢成歌

蝶蛺揚帆於花海
星子點燭於天心
我攜麗夢長飛
向蔚藍的歲月

初　旅

我　自燃為奇異之星
用光
旅行宇宙
每一探進
猶有起步的驚喜
每一邁步
猶如沛然的初旅
我的心燃燒著
熊熊不滅的活力
指向
永恆

想飛

想飛——
想為心靈開拓一片美與真
可居　可遊　可觀
可以縱橫無際的翱翔徜徉

想飛——
把壯志高高揚起
憑靠靈犀詩筆
深入大千的每一根脈絡
讓愛與智

溶匯在文字中
揮灑在色彩裡

飛啊
讓囚不住的心　振翼
抛開莽莽紅塵
向蔚藍的未來歲月
飛——去——

如雲

若你想築籬
將我圍起來
我卻早已用筆
把山水圍在心上
無限長
無限廣
無邊際

乘雲旅行的夢啊
山水所在
就是我的歸依

繽紛

・之一・

繽紛掛在枝頭
是甦醒的鄉愁
穿過江風片片
向夢中輕流

・之二・

把詩化為雁陣一般的句子

把畫揮灑成霞一般的夢
我擁抱的生活啊
是一首流麗的歌

・之三・

青色的山嵐
守著芬芳的家園
讓流水去抒寫
一頁亙古的溫馨

・之四・

一列破土而出的喜悅

在堅實的大地上揚起生的歡呼
燦烈的生命啊
呈現出莊嚴華麗的聖情

·之五·

映著明麗的天光
田野滋長出朵朵靈語
一字一句
都是我對家國的摯愛

·之六·

把青青的草香揮灑
將繁歌般的花訊散播
讓山間　水畔
充滿天國的弦音

・之七・

沐天光而笑
飲清風而歌
任憑芊芊青草
為大自然
獻上她的歡呼

・之八・

水中映著亮麗的晴空
光華盈溢　彩澤流燦
我張開青春的雙臂
讓晴空的笑影全投進我的身心

・之九・

在華年的綠野上
讓希望播種
讓理想生根
讓美麗的花朵
在我性靈的綠葉間萌動

・之十・

成熟的黃昏
在山麓水涘間
釀成一朵永恒不凋的笑
淨潔了思
昇華了至善的情

源

曾以浪人自詡
曾以遊子自豪
曾用不羈的狂傲
浪遊海天

然而　每當夢迴
赤裸的正視心底的秘密
不得不默認
叫我衷心牽繫的
還是最初的源頭

歸去　我要歸去
領著薪傳的生命
我要追循真正的歸屬
繁殖
莊嚴的根

緣汗青而上

緣汗青而上
題寫奮鬥的軌跡
緣汗青再上
貫徹神聖的天職
我要
越過節節風雪
趨向生命的康莊
再回首時
一路脈理如燙金的字句
已銘於汗青

獨奏

我以俯瞰之姿
看
茫茫塵海如潮汐退盡
讓孤獨昇華為一面明鏡
映照出純潔的青春
　　磅礡的生命

求　圓

排開浮華
排開俗塵
懷藏夢裡的繽紛
奔馳在無邊的遼闊

飲盡辛勞
飲盡寂寞
而
繽紛依然迷離
遼闊依舊蒼茫

只因為
追求　是必須的辛勞與寂寞
我還是
豪飲千風萬雨
以源源的活力
完成壯麗的
長征

筆　耕

在生之依戀裡
最捨不下的
還是一枝畫夢的筆

執著希望握著筆
彷彿即是
握住了整個人生

當我揮動畫夢的筆
我就是最富有的
圓夢的人

雨時

守著孤寂的美
把繁華推向門外

細雨紛紛
如千絲萬縷的我
在一片默默中
我化作
紙上乾坤

覺

安靜吧
紛飛在流光中的
思
夢幻的美景
自耕的苦境
是剎那間的驚心
是跌宕在歲月浪潮裡
一朵小小的
水花

安靜吧
我要定雲止水的淨境
請覆我以單純的潔白
　置我於洪荒的悄靜
讓我以全部的溫柔
期待花開的春

思

握著自己
交給遼闊的天地
讓悄然的寧靜
成就
另一種高音

取向

莫將我安置於華屋
莫引我向迷濛的幻境
漫漫長途
我只擎起旺燃的
希望

我遠離繁美
與純淨相戀
我拋揚繽紛的色彩
騎意志的烈馬

馳騁在思想的草原
我以唯一的真
追求
亙古的
美

向陽

把痛苦揉碎
掩蓋心上的深創
當我用淚水浴過自己
抬起雙眸
仍然肯定地向陽

環顧
許多生命都在沉澱
但我是昇華的一個
許多靈魂都屬偽飾

但我是真實的一個
當深創鉅痛的
徹夜嚎哭後
我依然
仰向燃燒的青春
我的真心
一羽新生的鳳凰

蝶願

吐糾結的絲
把自己纏了又纏
　　繞了又繞
這裹著落寞與感傷的繭
何時才能破殼
飛成翩翩彩蝶

彩蝶翩翩
何時才能在萬紫千紅中
覓得心屬的一點紅

一抹綠
一個靜謐的棲身的
夢之鄉

這纏繞的絲
裹著一個小小的願望
希望掙脫傷懷的情結
像彩蝶
載著喜悅與理想
飛舞——
飛向光
飛向熱
舞出自己
舒展向生命的康莊

詩雨

向雨中採詩
向水溶溶的時空
摘熱切的嚮往

以花題字
織綠成夢
釀愛為理想
可供微醺
飢渴的心

飲雨成歌
雨中
見靈感邁步
在詩畫的經緯間穿梭
雨織天地為錦繡
且織我成詩
綠我成夢
綻我成花

·後記·

在流光中

莊雲惠

曾幾何時，時間對我竟是一個驚嘆號。每當屈指一數，或驀然回首時，總詫異於匆匆流光在暗中偷換，平添了歲月的痕跡。而我猶如一個與時間競走的競賽者，在有限的公餘之暇，投注了全部的心力和精力，期許自己能深入探勘藝文的領域，快意遨遊在藝文蔚藍的天空。

六年多來，我緊握著畫夢的詩筆和畫筆，從未因生活繁瑣、現實紛擾而停歇。相反地，我在生活中汲取養分，在現實裡找尋靈思，我把點點滴滴的感懷與觸發，通過心靈過濾、沉澱、蘊蓄，擷取意象，釀造詩篇。

寫詩對我來說並非一件容易的事，卻是我衷心傾戀、全情嚮慕的聖境。我以虔誠的心意，付出滿懷的深情，來對待我所寫的每一首詩。無論是否提筆，我經常都沉浸在詩的感覺中，經常爲詩而魂牽夢縈。每當捕捉到可以入詩的題材，或有創作的情緒衝動時，頃刻便能靈思泉湧，觸筆成詩；也許是幾經周折，再三反芻，才能成詩，或竟然無法成詩；有時，枯坐案前終夜，或消磨了假日的泰半時光，只寫成詩句三四行；有時，經過幾天的苦思冥想，才完成一章之作，而還是不能滿意。我並不在意創作過程的多磨，且是沉醉其中，享受把情思吐露，把懷想揮灑的快意。我慶幸在流變的時光中，在有限的記憶空間裡，能藉著紙筆，留下時光的痕跡，寫出零星的斷想，採擷多感的心想，使它們不致淹沒在時間的洪流中，消失在我不願多負荷的記憶裡。就把它們交給文字，交給詩篇，讓它們標記在時間的廊廡上，在書冊的扉頁中；若能激起讀者的感發，若能帶給知音者一點歡悅，一些吟哦，或一聲嘆息，那已是給我莫大的慰藉與鼓勵了。

「心似彩羽」是我繼「紅遍相思」後完成的第二部詩集。集中絕大多數是兩年來的作品。這兩年來，工作的變遷，生活的磨礪，以及各種新的人事帶來的刺激或感受，無論是苦樂、悲喜，我都珍惜與感謝，我把它們當作是創作的養分，靈思的泉源，我緊切地握住它們，也徹底地沉溶其中。我要眞實地、深摯地活出自己，我要透過刻骨的心愫，誠懇的情感，寫出性靈的篇章。

儘管時光匆匆，世事不斷演變，我置身在浩渺的時空，但求盡心盡情地把全生命投入，投向藝文的無涯無際與無限的繁富豐盈……，我願藉一枝筆，留下一位虔心人對人世間誠摯的愛念與純眞的情思。

感謝出版家彭正雄先生再度慨然允諾出版這本詩集；在我每一次出發的時候，彭先生總是給我全然的支持與最大的鼓勵，這份知遇之恩，暖情在心，洵爲無限的感念與感動。

多年來，我謹記許多眞切的關懷與鼓勵，憑藉著這股力量，使我堅定地向藝文的大道挺進。我常常覺得，得之於人的關注，受之於人的提攜太多，領受之際，反芻之餘，除了感謝之外，更還是感謝。

我在愛中成長，也將以愛回應這絲絲縷縷的温情生活與整個人生。

一九九〇年七月二十五日於台北